Soleil

Jupiter

Terre

Mercure

Mars

Vénus

À mon Loann, cette histoire qui nous a réunis,
quelque part entre astronomie et fantaisie !
OL

À mon Maxime qui m'en apprend beaucoup tous les jours
sur les étoiles, l'espace, l'infini et au-delà.
ET

Le loup
qui avait la tête dans les étoiles

Texte de Orianne Lallemand
Illustrations de Éléonore Thuillier

AUZOU

Il était une fois un loup qui avait la tête dans les étoiles.

Il passait ses nuits à observer le ciel, il imaginait des planètes habitées par des êtres étranges et merveilleux, il leur envoyait des signaux dans la nuit.

Il s'appelait Loup.

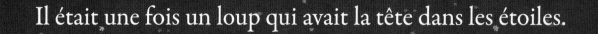

La pomme de terre

4

Un soir, Loup aperçut quelque chose qui clignotait, là-haut, tout là-haut, de l'autre côté de la galaxie. C'était sûrement un vaisseau extraterrestre !

Fou de joie, il fila voir Maître Hibou.
« Mais non voyons, c'est juste une comète, lui assura le vieux hibou. Il n'y a que nous dans l'univers, mon pauvre Loup ! »

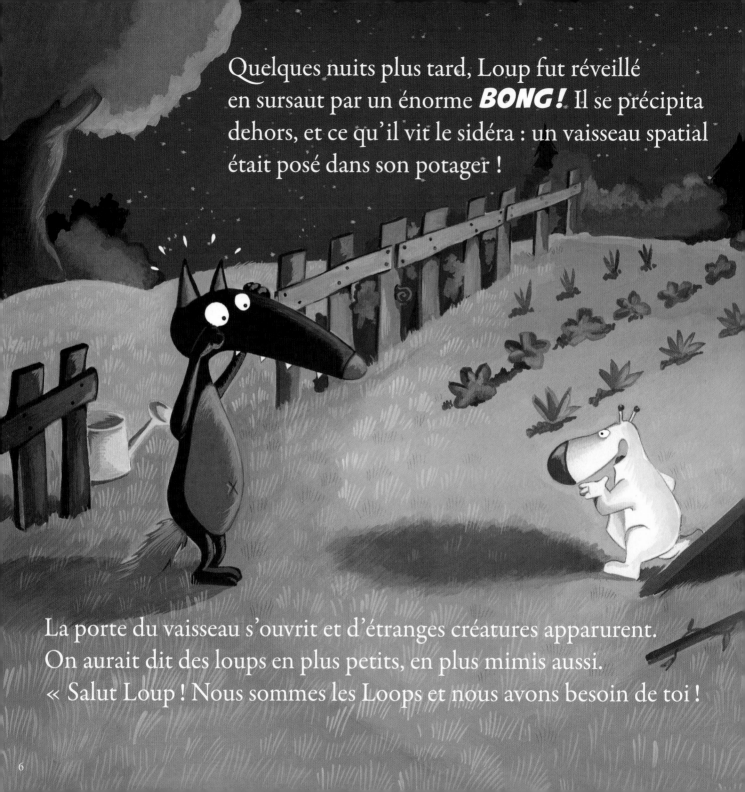

Quelques nuits plus tard, Loup fut réveillé
en sursaut par un énorme **BONG!** Il se précipita
dehors, et ce qu'il vit le sidéra : un vaisseau spatial
était posé dans son potager !

La porte du vaisseau s'ouvrit et d'étranges créatures apparurent.
On aurait dit des loups en plus petits, en plus mimis aussi.
« Salut Loup ! Nous sommes les Loops et nous avons besoin de toi ! »

– Notre roi, le Gros-Loops, a perdu le plaisir de rire, expliqua un Loops. Depuis, quelle tristesse sur notre planète...

– Le rire, c'est ta grande spécialité, tout l'univers le sait ! ajouta un autre Loops. Toi seul peux nous aider !

– Tout l'univers ? Vous exagérez... » fit Loup, flatté.

Mais sans plus attendre, les Loops poussèrent
Loup à l'intérieur de leur vaisseau,
qui décolla aussitôt.

Le museau collé au hublot,
Loup regarda la Terre s'éloigner.
« Ta planète est loopsement jolie,
commenta un Loops, la plus jolie
du système solaire, si tu veux mon avis...
– Regardez ! l'interrompit Loup, tout excité,
voici la Lune ! Et... ne serait-ce pas Mars
là-bas ? Oh non ! Changez de trajectoire, vite !
C'est rempli d'astéroïdes par ici...
Nous allons être pulvérisés !
– Enfin quelque chose
de marrant ! répondit
un Loops. Accroche-toi,
Loup, tu vas a-do-rer ! »

Laissant le Soleil derrière lui, le vaisseau zigzagua
entre les astéroïdes, plongea vers Jupiter
et fit la toupie autour des anneaux de Saturne.
Ballottés dans tous les sens, les Loops hurlaient de joie.
« Allez, assez loopsé ! dit le pilote.
Cette fois, on y va vitesse grand V !
– Où ça ? s'affola Loup.
– Dans ce trou noir, juste là…

Mercure

Terre

Jupiter

Uranus

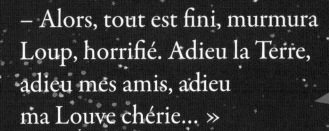

– Alors, tout est fini, murmura
Loup, horrifié. Adieu la Terre,
adieu mes amis, adieu
ma Louve chérie... »

GAGNÉ !

Soleil

Vénus

Mars

Saturne

Neptune

Pluton

À peine englouti par le trou noir, l'engin fut recraché de l'autre côté.
Surpris, Loup ouvrit des yeux grands comme des soucoupes volantes !
« Bienvenue dans notre galaxie ! firent les Loops. Voici les planètes
Artifice, Swing, Toboggan et Tornado. Mais la plus chouette,
c'est Looping, notre planète ! »

Loup observa la planète qui se rapprochait :
elle n'était pas du tout comme il l'avait imaginée.
C'est alors qu'un choc terrible se produisit...

15

« Alerte ! Alerte !
cria le pilote. On s'est
fait loopser par un reloops !
Le hublot arrière est ouvert...
Sortez les loopso-balles,
et surtout, protégez Loup ! »

Hélas ! Loup était déjà entre
les pattes du reloops, qui le tournait
et le retournait dans tous les sens…

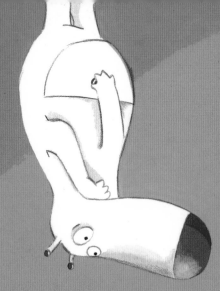

« Il faut récupérer Loup ! hurla le pilote.
Tout le monde à son poste !
À vos marques, prêts, loopsez ! »

Des balles multicolores jaillirent
de tous les côtés du vaisseau. Aussitôt,
le reloops lâcha Loup et se précipita
à leur poursuite en jappant de joie.

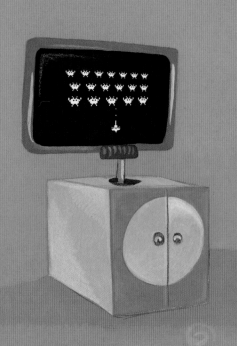

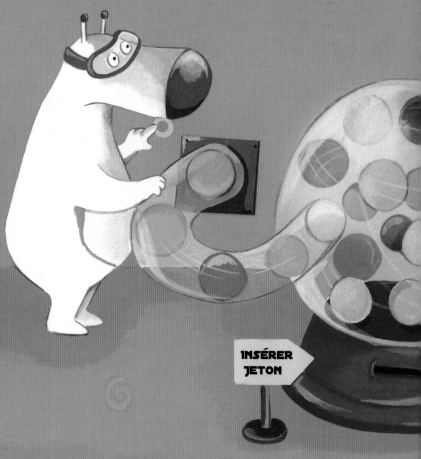

INSÉRER
JETON

Sans perdre un instant, le vaisseau plongea pour aller chercher Loup. Quand il fut en sécurité à bord, Loup soupira :
« C'était quoi, cette chose ?

– Un reloops volant. Ce qu'il aime, c'est jouer. Il n'est pas méchant,
tu sais, juste très collant. Sur notre planète, on a aussi des reloops
à piques, des reloops d'eau et des reloops domestiques.
– Vraiment ? » fit Loup interloqué, tandis que le vaisseau, enfin,
se posait.

Au sol, le roi des Loops les attendait,
l'air aussi malheureux qu'une comète sans queue.
« Salut Majesté ! Nous te ramenons Loup,
le champion du rire sur sa planète. »
Le Gros-Loops essuya une larme qui perlait à ses yeux.

« Ah ! Si seulement il pouvait
réussir, j'exaucerais tous ses désirs, renifla-t-il. Vas-y, Loup ! Fais-moi rire ! »

Loup raconta ses blagues
préférées.

Il fit toutes les grimaces
qu'il connaissait.

Le roi ne sourit pas une seule fois.

Loup se mit alors à sautiller en chantant et remuant du popotin :
cela faisait toujours beaucoup rire ses copains. Au début,
rien ne se passa. Et puis il commença à rebondir plus haut,
toujours plus haut... Il ne pouvait plus s'arrêter !

Pauvre Loup ! Il gesticulait dans les airs, tête à l'envers,
puis retombait sur le museau... *AÏE !* pour repartir valser
plus haut et rebondir sur le derrière... **OUILLE !**

Voyant cela, le Gros-Loops partit dans un fou rire gigantesque.
Et plus il riait, plus il rebondissait lui aussi. Peu à peu, la planète
Looping tout entière fut agitée de tremblements et **YOUPLABOUM !**
elle fit un grand bond. Aussitôt le paysage se transforma...

« Bravo Loup, tu as réussi ! applaudirent les Loops, déchaînés. Tu es vraiment épouloopsant !

– Demande-moi ce que tu veux ! ajouta le roi, hilare.

– J'aimerais visiter votre planète, répondit Loup, encore secoué. Elle a vraiment l'air super chouette ! »

Loup découvrit la planète
Looping escorté par
une troupe de Loops en folie.
Pendant la visite, il changea
de couleur dix fois, rebondit
beaucoup, se gava de délicieux
croque-loops et rigola, rigola...

Quand la nuit tomba, Loup avait des étoiles plein les yeux :
« Merci pour cette incroyable journée ! Mais je suis fatigué,
j'aimerais rentrer sur Terre...

– Comme tu préfères, Loup. Cette
sonde spatiale va te ramener
chez toi. Bon voyage
interstellaire, et surtout,
ne nous oublie pas ! »

Lorsqu'il se posa dans son jardin, Loup poussa un soupir
de soulagement. Quel bonheur de retrouver cette bonne vieille Terre !
En titubant, il regagna sa maison.

« Hé, Loup ! l'appela alors Maître
Hibou, d'où viens-tu comme ça ?

– D'une autre galaxie, répondit Loup
sans se retourner. Mais si je vous
racontais, jamais vous ne me croiriez !
Bonne nuit, Maître Hibou ! »

Responsable éditoriale : Agathe Lème-Michau
Éditrice : Marie Marin
Responsable graphique : Alice Nominé
Maquette : Ève Gentilhomme
Responsable fabrication : Jean-Christophe Collett
Fabrication : Virginie Champeaud
Relecture : Lise Cornacchia

Produit conçu et fabriqué sous système de management de la qualité
certifié AFAQ ISO 9001.
www.auzou.com

 Rejoignez-nous sur Facebook et suivez l'actualité des Éditions Auzou.
www.facebook.com/auzoujeunesse

Mes p'tits albums de Loup

Le loup qui voulait changer de couleur

Le loup qui s'aimait beaucoup trop

Le loup qui cherchait une amoureuse

Le loup qui ne voulait plus marcher

Le loup qui voulait faire le tour du monde

Le loup qui voulait être un artiste

Le loup qui voyageait dans le temps

Le loup qui fêtait son anniversaire

Le loup qui découvrait le pays des contes

Le loup qui avait peur de son ombre

Le loup qui enquêtait au musée

Le loup qui voulait être un super-héros

Le loup qui avait la tête dans les étoiles

Mes grands albums de Loup

Le loup qui voulait changer de couleur

Le loup qui s'aimait beaucoup trop

Le loup qui cherchait une amoureuse

Le loup qui ne voulait plus marcher

Le loup qui voulait faire le tour du monde

Le loup qui voulait être un artiste

Le loup qui voyageait dans le temps

Le loup qui n'aimait pas Noël

Le loup qui fêtait son anniversaire

Le loup qui découvrait le pays des contes

Le loup qui avait peur de son ombre

Le loup qui enquêtait au musée

Le loup qui voulait être un super-héros

Le loup qui avait la tête dans les étoiles

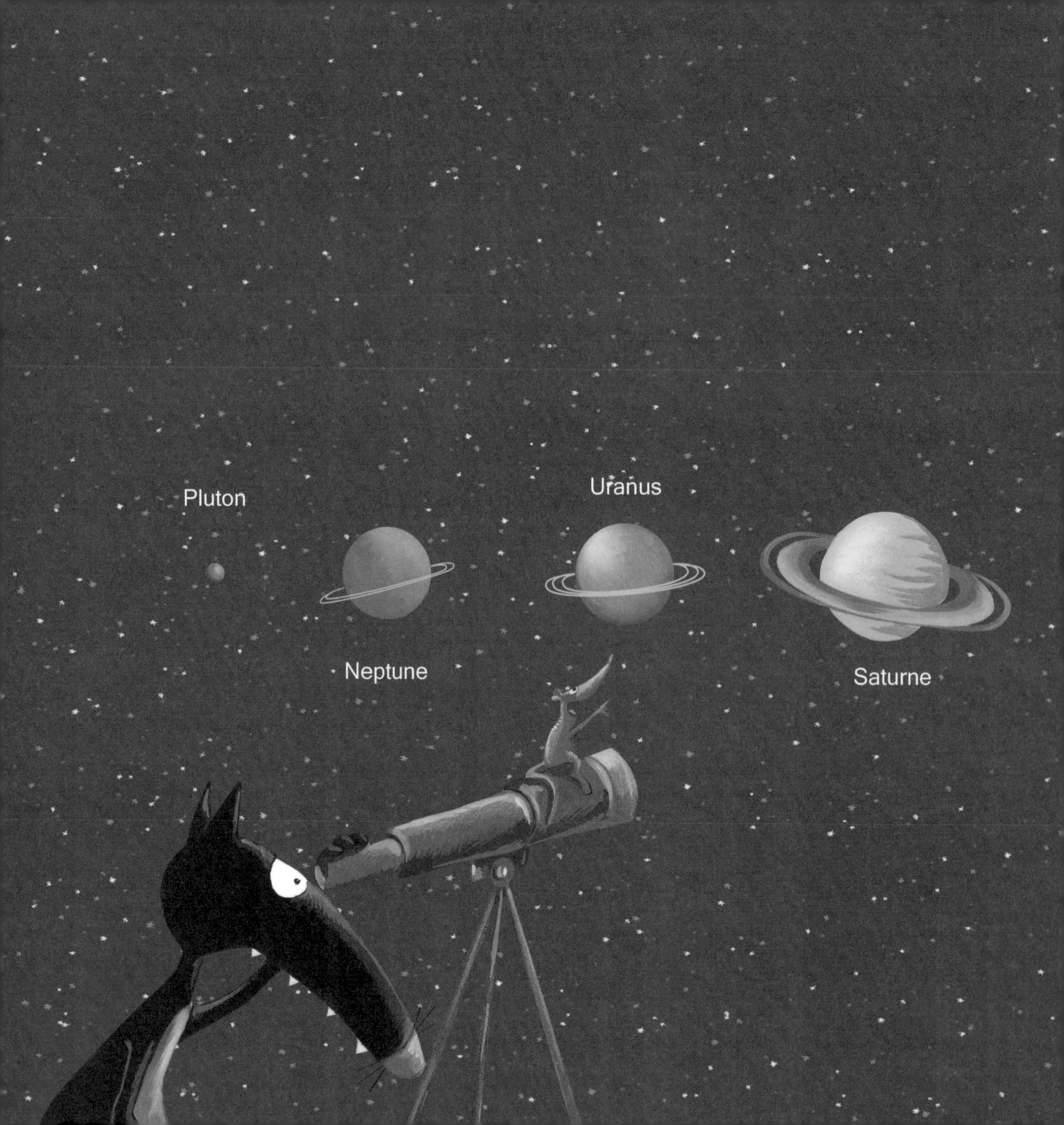
Pluton
Uranus
Neptune
Saturne